EL BARCO DE VAPOR

Morris, quiero una pesadilla

Gabriela Keselman

Ilustraciones de Maximiliano Luchini

sm

Había una vez un mapache
llamado Morris.
Vivía con su mamá y su papá.
Y con su hermanito, Rayujo.

Morris iba al cole,
jugaba, dormía…
Bueno, dormía hasta que alguien
lo despertaba justo a mitad de un ronquido.
Alguien que venía a pedirle ayuda…

–¡Despierta, Morris!
–le dijo el lobo Lupino al oído.
   Morris abrió un ojo.
Y decidió cerrarlo otro ratito más.
Pero Lupino tenía algo importante
que decirle, así que lo sacudió
como a una alfombra.

– ¡Despierta, Morris!
¡Necesito una pesadilla!

Morris pegó un respingo.
El lobo Lupino lo miraba
con cara de corderito.
Resoplaba nervioso.
¡Y le pedía una pesadilla!

Morris, el mapache,
era un héroe. El héroe más héroe
del bosque, del río y del prado.

Y era el héroe
más héroe del prado,
del río y del bosque.
O sea, Morris era el más héroe
de la vuelta al mundo.

Podía conseguir cosas raras,
difíciles, grandiosas.
Salvó a un zorro de una gallina peleona.
Hizo que una tortuga ganase
la carrera a una liebre.
Y hasta encontró el chupete
de su hermanito Rayujo.
¡Eso sí que fue una verdadera hazaña!
Pero nunca había ayudado a nadie
a conseguir pesadillas.

–¡Morris, tienes que ayudarme!
¡Ya no asusto como antes!
¡Estoy seguro de que si tengo una pesadilla,
volveré a ser un lobo muy feroz!
–insistió Lupino.

   –No te preocupes
–dijo Morris restregándose el morro.

   Y añadió:

   –Si la consigo, ¿me darás un chocolate
entero… y además uno empezado?

   Lupino asintió moviendo la cabeza
arriba y abajo.

   Morris sacó su cuaderno y apuntó:

Buscar una pesadilla para Lupino

15

—¿De qué clase?
—preguntó mordisqueando el lápiz.
—Horripilantísima —dijo el lobo.
Y enseguida se marchó,
convencido de que Morris iba a traer
una pesadilla horripilantísima
esa misma noche.

Morris no tenía tiempo que perder.
Corrió hasta el perchero
donde colgaba sus antifaces de héroe.

Dudó entre ponerse
este o aquel.
Al fin escogió otro.
Pero se lo colocó tan deprisa
que quedó bastante torcido.

Luego, salió de casa.

Caminó hasta el Mercado de Cosas Increíbles.

Allí buscó algún cartel que pusiese:

o

Pero no vio ningún cartel.

Ni siquiera una señal que pusiese:

Así que Morris recorrió un puesto
y otro y otro más.
Encontró una cortina que saltaba a la comba.
Una nube que se peinaba.
Un señor gordo que estaba delgado.
Una nariz de payaso
(que no le pareció una cosa increíble).
Un trozo de queso con forma de ratón.
Y un ratón con forma de gato.

Buscó por arriba, por atrás.
Por cualquier parte y por algún sitio.

Morris sacó su pequeño
cuaderno y tomó nota:

Las pesadillas no se venden.

QUESO
RATÓN

Morris entonces pensó
un pensamiento larguísimo.
Su antifaz se estiró como un chicle.

–¡Ya lo sé! Le pediré a alguien
que me dé la suya –exclamó.

De un salto llegó a casa de una coneja.

–¿No tienes alguna pesadilla
para darme? –pidió Morris.

–Tenía, pero no sé dónde la puse
–dijo la coneja, despistada.

Morris no podía esperar
a que la coneja encontrase la pesadilla.
Así que voló hasta la casa de un viejo búho.

—¿Tienes una pesadilla para dejarme?
—volvió a pedir.

—Huy, tengo una muy gastada
de cuando era pequeño.
La pobre da risa —contestó el búho.

Esa no le servía para nada.
Entonces Morris chapoteó
hasta donde estaba un lagarto.

 –¿Me puedes regalar una pesadilla?
–pidió nuevamente.

 –Perdona, pero la necesito para asustarme
y llamar a mis padres por la noche
–respondió el lagarto.

 Morris sacó su pequeño cuaderno
y escribió:

PUES VAYA · · ·

Entonces Morris pensó
un pensamiento fortísimo.
Su antifaz se agrandó
hasta parecer una careta.

–¡Ya lo sé! No se venden,
no se prestan, no se regalan… –exclamó–.
¡Tengo que fabricar una pesadilla!

Entonces reunió a sus amigos
junto a la Piedra de Pensar Juntos.

–Vamos a inventar una pesadilla
horripilantísima para Lupino
–les explicó.

–Una pesadilla debe empezar
con un monstruo –dijo la nutria Flotilde.

Entonces hizo una mueca monstruosa.
Todos aplaudieron
este horripilantísimo comienzo.

Moff, el topo, dijo que había que poner
un poco de oscuridad.
Por eso fue a su madriguera a buscarla.

Wok, el castor,
propuso un golpe en la espinilla.
Y enseñó su pata llena de moretones.
La ardilla Maní recordó
un día que la regañaron mucho
por colgarse de una rama peligrosa.

Morris sacó su pequeño cuaderno y agregó:

Gritos de niños atacados
por las cosquillas.
Gritos de madres
cuando ven una cucaracha.
Gritos de padres
cuando su equipo mete un gol
en su propia portería.

Cada uno fue añadiendo a la pesadilla
todo lo que se le ocurría:

Unos números que se peleaban
con unas letras en la pizarra.

Una esponja gigante y pinchuda
que perseguía a un piojo por toda la bañera.

La cara de Moff, el topo,
cuando el médico le puso una vacuna.

–Dos dolores de tripa
–dijo Wok, el castor–.
Uno de verdad
y otro de mentirijilla.
–¡El tenedor! –chilló Rayujo
desde detrás de un arbusto.

–Eso no sirve. Un tenedor
no es horripilantísimo –protestaron todos.
   Rayujo se puso rojo
como una manzana roja.
La cara se le hinchó más que un globo.
Se le enroscó la cola como un canelón.
Y lloró millones de lágrimas hasta
que se le cayeron todos los mocos que tenía.
Más unos guardados del catarro
que tuvo en invierno.

Morris sacó su pequeño cuaderno y sumó:

Un chichón enorme
Una pelea boba
Un juguete roto
Un trueno en la noche
El mejor cromo perdido
(Y el día en que Maní
se perdió en la playa)
Un cuento de fantasmas
Un jersey que pica
~~Un chichón enorme~~
(esto ya lo puse)

Por fin, Morris le agregó aullidos
de lobo feroz por encima.
Uno a uno como si fueran granitos de azúcar.
—¡Morris, eres el héroe más héroe
del bosque, del prado, del río
y de la vuelta al mundo!
—dijeron sus amigos.

Al atardecer, cada uno se marchó a casa.
¡La pesadilla estaba preparada!
Entonces, Morris la cargó en un carrito
y la arrastró hasta la casa del lobo Lupino.

Llamó a la puerta y dijo:

–¡He conseguido la pesadilla
más horripilantísima!

Lupino abrió los ojos.

Abrió los brazos.

Abrió la boca… y no la pudo volver a cerrar.

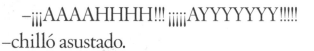

–¡¡¡AAAAHHHH!!! ¡¡¡¡AYYYYYY!!!!!
–chilló asustado.

Le dio tanto miedo
que se escondió detrás de Morris.

Se agarró a él.
Y tembló tanto que Morris creyó
que estaban metidos en una batidora.

   –Ya nnnno nnnno quiqui quiqui quiero
la pesapesa la pesapesa la pesadilla
–tartamudeó Lupino.

   –¡Pero te la he traído!
Tienes que darme igual el chocolate entero…
y además el empezado –dijo Morris.

   Lupino iba a protestar,
pero tenía prisa por escapar de allí.
Le dio los chocolates,
se envolvió en su mantita
y salió disparado.

48

Pensó que era la noche ideal
para dormir en la cama de su abuelita.
Morris tenía que deshacerse de la pesadilla.
Pero primero miró los chocolates.

49

Todo este trabajo le había dado hambre.
Se zampó el que estaba empezado.
Y luego empezó el otro
hasta dejarlo terminado.

Luego metió la pesadilla
en una bolsa.
Apoyó su morrito pringoso
en un costado
y le dejó una marca:

La metió en una papelera.
Y volvió a casa brincando por el camino.

52

–¡Morris! –llamó su mamá
cuando lo vio–.
¡Lávate ese morrito chocolatado
y vete a dormir!
   A Morris no le quedó
más remedio que obedecer
a su mamá.

Se acercó a una pequeña cascada
y se echó agua hasta quitarse
todas las manchas.

Pero lo hizo solo
porque sabía que muy pronto,
prontísimo, requeteprontísimo...

Alguien lo iba a despertar
justo a mitad de un ronquido.
Alguien que vendría a pedirle ayuda.

Receta para NO tener pesadillas

- Un kilo de mimos dulces de mamá
- Cinco carcajadas de las fuertes
- Otro puñadito de risas
- Un cuento contado por papá
- Unos buenos amigos
- Mirar la Luna por la ventana
  (si no hay Luna, pintar una
  y pegarla en la pared)
- Cerrar fuerte los ojos y ver estrellitas
- Cantar aunque uno cante fatal

Mezclar todo y batirlo
mientras se baila descalzo.

Repartir esta receta por el cuarto.

(Y guardar un poquito bajo la almohada)

TE CUENTO QUE GABRIELA KESELMAN...

... es una niña. Sí, sí; en realidad, no sé los años que tiene, pero es una auténtica niña con la que te troncharás de risa. Por eso, sus historias tienen siempre la dosis justa de humor, ternura y aventura. Los animales que las protagonizan son un poco traviesos, bastante juguetones y muy muy alegres. Gabriela no solo escribe cuentos, sino que también los cuenta de maravilla.

Gabriela Keselman nació en Buenos Aires (Argentina), aunque también ha vivido en España muchos años. Ha publicado más de cuarenta libros, ha recibido varios premios y algunas de sus obras han sido traducidas a lenguas como el inglés, el francés, el coreano y el japonés.

¿QUIERES LEER MÁS?

SI TE HA GUSTADO **MORRIS, QUIERO UNA PESADILLA,** NO TE PIERDAS LOS DEMÁS LIBROS DE LA SERIE, en los que Morris tendrá que resolver los nuevos problemas que le plantean sus amigos. Y no siempre es fácil.

SERIE MORRIS
Gabriela Keselman
EL BARCO DE VAPOR, SERIE BLANCA

¿TIENES PESADILLAS? ¿TE GUSTAN LAS HISTORIAS DE MIEDO QUE ACABAN HACIÉNDOTE REÍR? ENTONCES LO PASARÁS «DE MIEDO» CON **EL DOMADOR DE MONSTRUOS;** en él, Sergio debe espantar sus miedos inventando monstruos tan feos y terroríficos que al final dan risa.

EL DOMADOR DE MONSTRUOS
Ana María Machado
EL BARCO DE VAPOR, SERIE BLANCA, N.º 65

MORRIS ESTÁ ENCANTADO DE PODER AYUDAR A LUPINO A CONSEGUIR SU PESADILLA. EN **LA HORMIGA MIGA, MEGAMAGA**, Miga también te ayudará en todo lo que pueda, siempre que te muestres contento e ilusionado, claro.

LA HORMIGA MIGA, MEGAMAGA
Emili Teixidor
EL BARCO DE VAPOR, SERIE BLANCA

SI TE ENCANTAN LAS HISTORIAS PROTAGONIZADAS POR ANIMALES QUE ACTÚAN COMO AUTÉNTICOS NIÑOS, NO PUEDES PERDERTE **TÚ ME PROMETISTE.** El gato Mostacholes quiere cambiar de mamá, pero no encuentra ninguna que le convenza. Quizá no haya mejor mamá que su propia mamá.

TÚ ME PROMETISTE
Gabriela Keselman
EL BARCO DE VAPOR, SERIE BLANCA, N.º 118

Dirección editorial: Elsa Aguiar
Coordinación editorial: Paloma Jover
Cubierta e ilustraciones: Maximiliano Luchini

© del texto: Gabriela Keselman, 2007
© de las ilustraciones: Maximiliano Luchini, 2007
© Ediciones SM, 2007
   Impresores, 2
   Urbanización Prado del Espino
   28660 Boadilla del Monte (Madrid)
   www.grupo-sm.com

ATENCIÓN AL CLIENTE
Tel.: 902 12 13 23
Fax: 902 24 12 22
e-mail: clientes@grupo-sm.com

ISBN: 978-84-675-2744-5
Depósito legal: M-8219-2008
Impreso en España / *Printed in Spain*
Orymu, SA - Ruiz de Alda, 1 - Pinto (Madrid)